小河狸建筑师

王坤／著　马亮　肖铮／图

D1629488

首都师范大学出版社
CAPITAL NORMAL UNIVERSITY PRESS

这天，河狸妈妈对她的三个孩子说："你们都到了上学的年龄，从明天开始，你们要跟着山姆老师，进一步学习和提高游泳的技能。"

第二天一早，小河狸们随着爸爸来到河狸泳技训练中心，山姆老师热情地接待了他们。

小河狸汉斯的哥哥、姐姐迫不及待地想在山姆老师面前露一手。

　　河狸爸爸将躲在身后的汉斯拉到山姆老师面前，忧心忡忡地说："这个孩子一直对游泳提不起兴趣，您可要多费心。"

送走了河狸爸爸，山姆老师首先教授给孩子们更多的泳姿，然后开始指导他们在岸上反复练习新动作。

经过多日的反复训练，山姆老师准许孩子们下水了。哥哥姐姐在河里很快就用上了新学的动作，他们兴奋地游来游去，尽情地享受着清凉的河水带来的舒爽。

山姆老师叫岸上的汉斯也下水练习，汉斯只好不情愿地跳下河。他浑身绷得紧紧的，四肢和尾巴怎么也配合不到一块儿。

日子一天天过去了，当哥哥姐姐已经开始炫耀自己泳技的时候，小河狸汉斯还在山姆老师的指点下反复纠正着不够标准的泳姿。

常来岸边闲逛的豪猪和山猫，每次瞧见汉斯笨拙的泳姿，都会嘲笑他："嘿，朋友，你可真该好好练练，要不就等着给水獭当早餐吧。"

听了他们的奚落，汉斯更加气馁，山姆老师看着汉斯无精打采的样子，也不禁摇头。

河狸爸爸来接孩子们回家了，山姆老师将河狸爸爸拉到一旁，悄声地说："看来游泳真的不适合汉斯，他学得总是比哥哥姐姐慢。"

回家路上，河狸爸爸边走边想："既然汉斯游泳不在行，那就尽量教他把窝搭得结实些吧。"

一回到河狸村，河狸爸爸就径直将汉斯带进附近的树林里，去寻找适合搭窝的树木和新鲜枝叶。

河狸爸爸先从选择合适的木材着手，继而把啃伐木材的要领，搭窝的步骤逐一耐心地教给汉斯，汉斯很快就对搭窝产生了浓厚的兴趣。

当伙伴们在河里嬉戏玩耍的时候，汉斯却把心思都放在了搭窝上，他常常花掉很多时间来琢磨搭窝的技巧与方法。

汉斯搭窝的水平进步得非常快，他细心修补了自己家在搭建上存在的漏洞，又耐心地将邻居们的家也做了修缮。

在这带寻衅滋事的水獭赖恩，屡屡被汉斯修葺过的窝挡在外面，找不到得手的机会。他气得暴跳如雷，却又无可奈何。

起初，汉斯只满足于窝的结实耐用。逐渐地，他希望自己搭的窝也能更加美观舒服。

汉斯为了达到理想效果，常把快搭好的房子推倒重来。住在不远处的臭鼬艾米忍不住上前问他："嘿，伙计，你这样做，难道不嫌麻烦吗？"

　　汉斯笑着回答："当然不，因为这是我的乐趣所在。"

臭鼬艾米实在想不明白，汉斯怎么会有这么古怪的爱好？他对着汉斯放了一个大大的臭屁，然后带着困惑，转身钻进了树林。

这天，森林里意外着起了一场大火，火势很凶猛，一直蔓延到河边，波及了河狸们的家园。

望着岸边的家园，即将被大火吞噬。河狸们心痛地试图冲上去救火，但浓烟却熏得大家无法靠近。

汉斯游上前，安慰爸爸："别担心，爸爸，我一定会帮大家重建一座更美的家园。"

大火熄灭后，河狸们依据汉斯画出的图纸，很快又重新搭建了一座更具风格的河狸村。曾经的安宁和幸福又回来了。而这一切都多亏了小河狸建筑师——汉斯。